© Hachette Livre, 2011, pour la présente édition.
Conception graphique : Audrey Cormeray
Traduction de l'italien : Anouk Filippini

Hachette Livre, 43, quai de Grenelle, 75015 Paris.

Winx CLUB 3D

L'Aventure Magique

hachette
JEUNESSE

1

Le grand jour est enfin arrivé : l'université d'Alféa s'apprête à fêter le début de l'année scolaire.

Une équipe de *It's Magix,* la plus importante chaîne de télévision de la dimension magique, va filmer toutes les festivités. La chaîne a en effet obtenu l'exclusivité : interview des personnalités, reportages en direct et en différé, contrats de publicité…

Sur chaque tour de l'école, on a installé des caméras pour filmer absolument tout ce qui va se passer, minute par minute.

Le ciel est clair, il fait bon. Tout est réuni pour que la fête soit réussie. Certains cameramen se sont postés sur la grande place de l'école en attendant que la fête commence.

Les étudiantes d'Alféa sont installées sur des sièges violets. Il y a aussi les jeunes sorcières de la Tour Nuage. Histoire de passer le temps et de calmer leur impatience, les fées papotent à voix basse. Les sorcières, elles, s'amusent à se moquer de leurs rivales et à inventer des plans diaboliques.

La grande place est partagée en deux : à droite les fées, à gauche les sorcières.

Mme Faragonda, la directrice d'Al-

6

féa, et la glaciale Griffin, celle de la Tour Nuage, viennent juste d'arriver. Debout sur la scène, elles dominent l'assemblée.

Une caméra zoome sur le drapeau tendu derrière l'estrade. Il montre le dessin d'un arbre étrange partagé en deux : le côté gauche est fleuri et luxuriant, le côté droit dépouillé et mystérieux. Les téléspectateurs les mieux informés reconnaissent l'Arbre de la Vie, symbole du Bien et du Mal, et de l'équilibre magique.

— Bienvenue à Magix ! Vous êtes sur *It's Magix*, la chaîne la plus magique de l'univers !

L'envoyée spéciale est jeune, jolie et très professionnelle. Elle porte une veste rouge un peu stricte, des boucles d'oreilles triangulaires et ses cheveux sont retenus en chignon.

— C'est ici, sur la planète la plus enchantée de la dimension magique, que des jeunes filles viennent de tous les coins de l'univers pour apprendre les secrets de la magie. Regardez comme c'est beau !

La caméra balaie le paysage enchanté, puis entre dans l'école. La visite peut commencer : le hall, le majestueux escalier intérieur, les vitraux, les salles de classe…

— Comme vous le savez tous, continue la journaliste, c'est ici, dans la célèbre école d'Alféa, que de jeunes fées étudient l'art de la magie. Elles apprennent à utiliser et à perfectionner leurs pouvoirs.

On voit maintenant des images prises pendant le cours du professeur Wizgiz, le professeur de Métamorphosymbiose.

La journaliste poursuit :

— Analyse cognitive, Potionologie, Métamorphosymbiose, Physique magique… Voici quelques-unes des matières enseignées ici. Comme vous le savez, l'université est dirigée d'une main de maître par Mme Faragonda, et les professeurs sont… Ah mais, on m'informe que les célèbres Winx viennent d'arriver !

Sur l'écran, on voit les six fées rayonnantes qui passent devant les caméras.

La journaliste prend soudain un ton beaucoup plus dramatique :

— À quelques kilomètres de là, dans la prestigieuse école de la Tour Nuage, les cours ont toujours lieu, même quand les forces du Mal déchaînent les éléments.

Sa voix s'est transformée, comme pour souligner le changement d'atmosphère et de latitude magique. Sur l'écran aussi, les images solaires d'Alféa sont soudain remplacées par des vues sombres de la Tour Nuage. Le ciel est menaçant, traversé par des éclairs : on dirait le décor d'un film d'horreur. Puis le visage de la directrice Griffin apparaît.

— La célèbre directrice de la Tour Nuage contrôle le niveau de préparation des apprenties sorcières, qui doivent connaître toutes sortes de sortilèges et de maléfices, explique la journaliste.

Comme pour Alféa, la caméra entre à l'intérieur de l'école, et surprend les jeunes élèves pendant un cours de sorcellerie.

— Mais revenons maintenant en direct d'Alféa.

La jeune journaliste se tourne et sourit à la caméra.

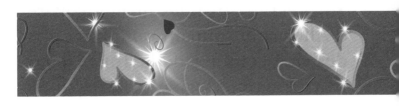

À Alféa, la cérémonie a commencé. Les directrices s'adressent aux élèves. Mme Faragonda les encourage à étudier et à utiliser la magie correctement, tandis que Mme Griffin donne des conseils maléfiques. Pendant ce temps, deux petites fées se sont levées discrètement. Elles s'approchent du magnifique buffet chargé de mets appétissants, de canapés, de petits-fours, en essayant de ne pas se faire remarquer. Les deux jeunes fées sont amies. L'une s'appelle Giada. Elle a les yeux bleus, les cheveux lisses et longs d'une belle couleur bleue. L'autre, Émilie, a les yeux bruns et les cheveux mauves. Elles se connaissent depuis toujours.

Pas très loin de là, trois jeunes sorcières les observent. Elles se lancent des regards entendus en lorgnant sur le buffet. D'autres fées, poussées par la gourmandise, s'approchent des friandises à pas de loup.

Giada choisit un petit gâteau surmonté d'une cerise confite, et croque dedans à pleines dents. Il faut dire qu'elle adore les pâtisseries.

Émilie fait la même chose, mais du coin de l'œil, elle a aperçu les étudiantes de l'autre camp. La bouche pleine, elle murmure à l'oreille de son amie :

— Tu as vu les sorcières ? Pourquoi elles nous observent mais ne viennent pas manger ?

Sa camarade se contente de hausser les épaules.

L'une des sorcières, justement, est sur le point d'attraper un canapé. Mais les autres l'arrêtent à temps. La sorcière comprend et repose le toast sur le bord de la table délicatement, comme s'il était plein d'explosifs.

— Tu as vu ? demande Giada à Émilie. Pourquoi est-ce qu'elles ne mangent pas ces canapés ?

— Elles les mangeraient si à la place de la tomate il y avait…

Mais elle s'interrompt brusquement, car elle s'aperçoit que son amie est en train de se transformer devant ses yeux. Stupéfaite, elle ne peut qu'observer la métamorphose :

la peau de Giada devient verte et ses doigts s'allongent. Elle est enveloppée d'une étrange lueur verdâtre.

Maintenant, Giada n'a plus rien d'une jeune fille : elle s'est transformée… en grenouille ! Avec des pattes palmées ! Émilie sent elle aussi qu'elle se métamorphose. C'est très bizarre, elle a envie de manger des queues de lézard ! Mais... Elle est devenue un crapaud ! Derrière son amie, elle traverse la grande place en sautant et en coassant.

Émilie et Giada sont les premières victimes du sortilège surprise des sorcières !

Une attaque en règle

Sur la place, c'est le chaos. Toutes les fées qui ont mangé des petits-fours se sont transformées en crapauds visqueux et biscornus. Les autres s'enfuient dans toutes les directions, dans la plus complète confusion.

Même la journaliste s'est transformée ! Il faut dire qu'elle aussi a craqué et mordu dans un petit-four !

Les plus jeunes fées poussent des hurlements. Les Winx essaient de rester calmes, mais ce n'est pas facile !

Mme Faragonda est horrifiée. Jamais elle n'aurait pu imaginer qu'une chose pareille vienne gâcher le jour de l'inauguration de la nouvelle année scolaire ! Son école ressemble maintenant à un étang grouillant de grenouilles ! Mme Griffin sourit. Elle est aux anges.

Retrouvant son sang-froid, Mme Faragonda hausse soudain la voix et crie :

— Du calme, mesdemoiselles. S'il vous plaît ! Gardez votre calme !

C'est alors qu'apparaissent, comme surgies de nulle part, trois silhouettes immédiatement identifiables : les Trix.

C'est la panique. Profitant de la confusion générale, Darcy s'envole

et entre dans l'école sans que personne ne pense à l'arrêter.

Flora décide alors de faire quelque chose pour les fées transformées en grenouilles. Volant au ras du sol, elle effleure la terre d'une main et fait apparaître par magie des buissons touffus qui viennent entourer les grenouilles.

— Nymphes enchantées ! lance la fée de la Nature.

Les buissons grandissent jusqu'à former une cage végétale. Layla vient lui donner un coup de main, en créant une couche de Morfix qui se mêle aux branches des buissons et forme comme une enveloppe protectrice au-dessus des grenouilles.

Stormy profite de la distraction de Flora pour lui jeter un terrible sortilège.

— Orage globulaire ! hurle la sorcière.

Elle crée ainsi un éclair qui se transforme en boule lumineuse. Elle la garde dans ses mains avant de la lancer sur Flora, qui ne s'y attend pas du tout. Heureusement, Tecna anticipe l'attaque et se positionne devant son amie pour la protéger.

— Plaque Defender !

Immédiatement, un bouclier magique composé de circuits de lumières se forme. La plaque défensive absorbe l'éclair et protège les fées. Mais soudain il se brise en mille morceaux. Sous le choc, Tecna est assommée. Stormy également.

Voyant que Stormy est momentanément K.O., Layla en profite pour frapper directement Icy avec deux de ses sortilèges les plus puissants.

— Morfix enchanté ! Ouragan d'Andros !

La chef des Trix se retrouve alors avec les bras pris dans deux boules gélatineuses, mais elle se libère en invoquant la rose des glaces.

— Rosa Polare !

Icy se prépare à frapper les fées. Surtout Stella, qui est à découvert. Pour couronner le tout, Stormy s'est relevée, et elle vient à la rescousse de sa sœur.

— Stella, minuscule Stella… hurle Icy.

Mais c'est Stormy qui termine sa phrase.

— … C'est terminé !

Musa comprend que la situation est en train de leur échapper et que son amie est en danger. Elle prend immédiatement les choses en main en lançant :

— Pouvoir de l'harmonie !

Elle libère ainsi une mélodie d'une douceur irrésistible, comme une vague qui envahit les âmes des fées et des sorcières, ramenant dans leur esprit et dans leur corps paix et tranquillité.

Mais Stormy parvient à déclencher un terrible coup de tonnerre qui brise le charme. La bagarre reprend de plus belle.

Impuissantes, les deux directrices

observent le dé-
sastre. La place res-
semble à un gigan-
tesque champ de
bataille. Ou plutôt
non : à un marais
après un bombarde-
ment.

Mme Faragonda re-
garde sa collègue dans les
yeux :

— Pourquoi faut-il que,
chaque année, la fête de
l'inauguration se termine en conflit ?
demande la directrice d'Alféa.

— Cette fois ce sont tes étudiantes qui ont commencé, proteste
Mme Griffin.

— Peut-être. Mais qui a fait tomber
une tempête tropicale sur Alféa l'année dernière ? Et l'année d'avant, qui

avait farci le gâteau de cafards et de serpents ? C'est toujours pareil…

La directrice de la Tour Nuage éclate de rire.

— Chère collègue, c'est toi qui t'obstines à organiser cette fête. Moi j'ai toujours dit que nos deux mondes sont inconciliables : les fées et les sorcières ne peuvent pas s'entendre. D'ailleurs, pourquoi le devraient-elles ?

Pendant ce temps, fées et sorcières, justement, s'affrontent. Stella s'aperçoit soudain que Darcy n'est pas là. Elle le fait remarquer à ses amies.

— Dites, les filles, elles ne sont pas trois d'habitude, les sorcières ?

— C'est vrai ça. Il manque Darcy, répond Tecna.

— Me voilà !

Un gros tentacule d'ombre frappe Stella aux épaules, l'attrape par la taille et la traîne par terre. Il est visqueux, et sombre comme la nuit. Il appartient à une pieuvre maléfique manœuvrée par Darcy.

— Je t'ai manqué, ma petite Stella ?

C'est Darcy. Mais d'où sort-elle ? Où avait-elle disparu ?

Stella réagit immédiatement.

— Vous, les sorcières, vous ne manquez jamais à personne ! Danse du soleil !

Darcy riposte avec un sortilège tout aussi puissant :

— Glyphe des ténèbres !

Pendant quelques instants se crée une sphère d'ombre et de lumière, parfaitement équilibrée. Les trois sorcières se rejoignent.

Icy murmure à l'oreille de la sorcière des illusions :

— Darcy, tu as pris la boussole ?

23

— Bien sûr, Icy…

— Alors, c'est parti !

Elle invoque un éclair et le dirige contre la sphère. Il y a une explosion de lumière éblouissante. Quand les Winx ouvrent les yeux, les Trix ont disparu.

Maintenant, l'urgence, ce sont les grenouilles.

— Récupérez toutes les gren… Je veux dire les fées ! dit Flora à ses amies.

— Ne les laissez surtout pas s'enfuir. On doit absolument annuler le sortilège de ces affreuses sorcières.

Il y en a partout. Des centaines de grenouilles sautent et coassent sur la place. Layla en prend une au hasard. Sa peau est d'une belle couleur vert émeraude. Stella n'est pas emballée à l'idée de toucher ces animaux, mais elle n'a pas le choix.

— Aucun animal n'est dégoûtant, proteste Tecna. Cela dit, on ferait mieux de leur rendre leur véritable apparence rapidement. Pour leur bien.

— Bravo, mesdemoiselles, vous avez été parfaites, dit Mme Faragonda en les rejoignant. Non seulement vous avez repoussé les Trix, mais vous avez aussi su protéger vos pauvres camarades.

La directrice choisit une grenouille au hasard, prononce une formule magique et enveloppe l'animal d'une poudre scintillante. La grenouille redevient alors une jolie petite fée aux cheveux châtains et aux yeux verts.

Tecna calcule des statistiques sur la rapidité de la victoire.

— Si Bloom avait été là, on aurait

certainement battu les sorcières en 22 secondes et 45 dixièmes !

— Oui, mais Bloom n'est pas là ! soupire Layla. Elle n'a aucun problème de grenouilles et de sorcières...

— C'est sûr qu'à Domino, elle doit avoir d'autres distractions... ajoute Musa avec une pointe de nostalgie dans la voix.

Elle prend tendrement une grenouille et l'enveloppe d'un halo magique. L'animal fait quelques sauts dans les airs et retrouve son aspect originel : celui de la journaliste de *It's Magix*. Elle revient brusquement à la réalité. Ajustant ses lunettes sur son nez, elle empoigne le micro.

— En direct d'Alféa. Croâ, croâ... je rends l'antenne. À vous les studios !

Une vie de princesse

Planète Domino, Palais Royal

Loin, très loin d'Alféa, Bloom est encore endormie. À Domino, il est tôt, mais la matinée est déjà lumineuse. Le soleil se lève sur une mer de cristal. La chambre de la princesse Bloom est perchée au sommet de la plus haute tour du palais. De là, la vue est imprenable.

Soudain, Bloom entend qu'on sonne à la porte.

— Bonjourrrr ! lance une voix familière, calme et profonde.

— Bonjour, princesse ! ajoute une autre voix, plus aiguë.

— Que votre journée soit agréable, ma chère ! ajoute une troisième voix, douce et maniérée.

Avec la délicatesse d'une tornade et la légèreté d'un éléphant, les trois dames de compagnie de l'héritière du trône font, en file indienne, leur entrée dans la chambre. Elles sont toutes les trois vêtues du même habit rouge de service, très élégant. Il y a Miss Carlotta, bien en chair, Miss Olivia, grande et maigre, et enfin Miss Pétunia, petite et frêle.

— Êtes-vous prête pour une nouvelle journée princière ? demande Miss Pétunia, comme tous les matins.

Puis elle ajoute :

— Aujourd'hui, nous allons devoir faire les essayages pour la garde-robe d'hiver.

— Déjà ? s'exclame Bloom. Ce n'est pas un peu tôt ?

— Pas du tout ! Les couturières du palais ont besoin de temps pour couper et coudre les cinquante-six tenues exigées par le protocole.

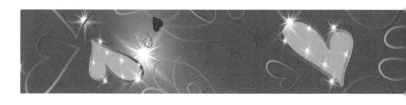

Les dames de compagnie prennent en main Bloom et lui prodiguent les mille soins dont, disent-elles, une princesse a besoin.

Miss Pétunia fait à nouveau une entrée remarquée dans la chambre, en poussant un chariot énorme.

— C'est l'heure du petit déjeuner !
Et une princesse doit absolument
avoir une alimentation équilibrée !

Miss Pétunia approche le chariot
chargé de vaisselle précieuse. Une
cloche en aluminium trône au beau
milieu.

—Aujourd'hui, nous avons quelque
chose de vraiment délicat, de rare !
Un morceau digne d'une princesse.

Miss Carlotta soulève le couvercle,
découvrant un petit aquarium. À l'intérieur, il y a un poisson rayé orange
et rose, qui nage tranquillement. La
fée en reste bouche bée.

— C'est un poisson Arc-en-ciel de
l'Île Perdue ! annonce fièrement
Miss Olivia. Si on le mange cru dès le
matin, il est excellent pour la peau !

Sans laisser à Bloom le temps de

réagir, Miss Carlotta plonge la main dans l'aquarium, attrape le pauvre petit poisson et l'enfourne dans la bouche de Bloom. Plaquant la main sur sa bouche, la princesse s'enfuit sans demander son reste.

Bloom court dans les couloirs du palais, le pauvre petit poisson se tortillant au creux de ses mains. Si elle veut le libérer, elle doit se dépêcher. Elle dévale les escaliers et tombe nez à nez avec le roi Oritel et la reine Marion.

— Bloom ! s'exclame sa mère, stupéfaite.

Bloom passe devant ses parents en trombe, en marmonnant de vagues excuses :

— Maman, Papa, je n'ai pas le temps, je dois libérer mon petit déjeuner…

Elle arrive en courant aux thermes du palais, réputés pour leur beauté, la finesse de leur architecture et la pureté de leurs eaux. Bloom file directement vers le salon rond et se penche au-dessus du bassin principal. Enfin ! Dans un soupir, elle peut libérer le poisson Arc-en-ciel, qui remonte à la surface et la regarde, comme pour la remercier.

L'endroit est magnifique. La lumière tamisée, l'air embué, la musique douce… C'est un endroit magique.

— Bloom…

La fée regarde autour d'elle. Elle a entendu murmurer son nom, et pourtant il n'y a personne.

— Bloom…

— Daphnée ? murmure Bloom. Daphnée, c'est toi ?

La fée observe l'eau de la piscine,

mais elle est parfaitement immobile. Même le petit poisson a disparu.

Soudain sa sœur émerge de l'eau : elle fait quelques rapides mouvements dans l'air, s'enroule en spirale sur elle-même et s'approche de Bloom. Elle rayonne. Elle est magnifique.

— Salut, Bloom ! lance-t-elle d'une voix forte, en prenant des airs de sorcière pour lui faire une blague.

Bloom éclate de rire :

— Salut, grande sœur ! Belle entrée, bravo ! Très original !

— Je voulais te faire une petite blague. Alors, comment ça va aujourd'hui ?

Bloom soupire. Elle adore sa sœur. Elle se confie à elle et ose lui dire ce qu'elle n'oserait dire à personne : la vie de princesse peut être parfois difficile, et le protocole lui pèse.

— Mais dis-moi, il y a bien quelques avantages non ?

— Oh, bien sûr ! se reprend Bloom. Tiens, je ne t'ai jamais parlé du massage à la rose ? C'est fantastique !

L'amour, c'est pour la vie !

4

Avec Daphnée, le temps passe à la vitesse de l'éclair. Lorsque Bloom la quitte, elle se sent tellement mieux. Quand elle retourne vers sa chambre, elle retrouve ses parents dans les couloirs du palais. Ils la cherchent car ils ont une surprise pour elle.

— Ferme les yeux, lui dit le roi Oritel.

Bloom obéit, intriguée. Ses parents lui prennent chacun une main et la guident à l'aveugle dans les allées du jardin. Kiko les suit en sautillant. Ils passent le pont et arrivent au portail doré du parc. Puis ils s'arrêtent.

— Je peux ouvrir les yeux ? demande Bloom.

— Tu peux... répond son père.

Émerveillée, elle découvre alors sa surprise : une magnifique jument blanche, à la crinière blonde et brillante. Elle est très bien équipée et la selle est une véritable œuvre d'art.

— Maman, Papa ! Elle est extraordinaire !

Elle se jette dans les bras de sa mère et embrasse son père. Puis elle s'approche doucement de la jument en murmurant :

— Elle est merveilleuse. Tout simplement merveilleuse…

La jument répond aux compliments de la fée. Elle lève la tête, secoue sa crinière et gratte la terre avec son sabot. Puis elle tend le museau vers Bloom, qui la caresse.

— Elle s'appelle Peg, et c'est un cadeau de ton père... murmure Marion.

— Merci, Papa.

— Je suis heureux qu'elle te plaise. Ta mère aussi a quelque chose pour toi, ma chérie.

Bloom se tourne vers Marion.

— Vraiment ?

Sa mère ferme les yeux et joint les doigts, libérant une flammèche magique qui touche la fée. Un nuage d'étincelles colorées entoure l'habit de princesse qu'elle porte, et en un éclair, il se transforme en tenue de cavalière.

— C'est nettement mieux, murmure Marion.

— Maman ! Merci, j'adore ce look !

— Alors, qu'est-ce que tu attends ? demande Oritel. Montre-moi comment tu t'en sors.

— Euh… en fait, je ne sais pas monter à cheval, avoue Bloom, confuse.

Son père l'aide à se mettre en selle.

— C'est plus facile que ce que tu imagines. L'important, c'est de grimper dessus. Ensuite ça vient tout seul.

— Tu es sûr ?

Pour toute réponse, le roi donne une petite tape sur la croupe de la jument, qui part au galop.

Bloom s'accroche aux rênes de toutes ses forces, et elle ferme les yeux.

Kiko a réussi à sauter à temps sur la jument, et ils galopent désormais vers l'horizon, le vent caressant le visage de Bloom. Le paysage défile : collines verdoyantes, et montagnes vertigineuses se découpent sur un ciel pur. La promenade est fantastique.

— Là... Doucement, maintenant, murmure Bloom en tirant sur les rênes. Je veux te présenter quelqu'un de très spécial.

La jument ralentit l'allure. Au sommet d'une colline, on aperçoit alors le vaisseau des Spécialistes, et à côté, la silhouette, reconnaissable entre toutes, de Sky. Debout dans son habit officiel de roi d'Éraklyon, il attend sa fiancée.

— Bloom ! crie-t-il en la voyant.

Et le vent porte sa voix jusqu'à la fée. Poussant sa jument, elle le rejoint rapidement.

— Sky. Bienvenue à Domino !

Un peu gêné, le roi lui tend une rose rouge.

— C'est pour toi, mon amour.

En se penchant pour attraper la rose, Bloom perd un étrier et tombe dans les bras de son fiancé.

— Je vois qu'on a encore quelques petits problèmes d'équilibre ? plaisante Sky tendrement.

— Maintenant que tu es là, je n'ai plus aucun problème.

Bloom laisse tomber la rose, qui atterrit sur la tête de Kiko. Le pauvre petit lapin n'a pas de chance aujourd'hui ! On l'a réveillé à l'aube, et en plus sa maîtresse passe son temps avec un cheval qui lui vole la vedette. Tiens ! Voilà maintenant que Peg lui vole aussi la rose, et l'avale en une bouchée. Comme pour mieux le narguer, la jument mâchonne la fleur avec nonchalance.

— Je n'ai pas l'impression que vous soyez très à l'aise avec votre monture, princesse de Domino, ajoute Sky, en riant.

— Oh ça va, toi ! Et d'abord ma jument a un nom. Elle s'appelle Peg.

— Peg ? Eh bien enchanté, Peg.
Moi, c'est Sky. Que dirais-tu d'apprendre à cette princesse comment
on monte à cheval ?

Aussitôt dit, aussitôt fait. Sky monte
sur la jument, qui commence par
protester. Mais le Spécialiste lui

montre que c'est lui qui commande. Puis il tend la main à Bloom, et la fée grimpe derrière lui. Kiko saute à son tour et les voilà tous partis.

— Alors, mon roi, murmure Bloom à l'oreille de Sky. Tu vas m'apprendre à monter comme une vraie princesse ?

— Tu sais, il n'y a pas vraiment de règle. J'ai seulement trois conseils à te donner : n'aie jamais peur, écoute ton cœur, et laisse-toi guider.

De retour dans les jardins du palais, Sky laisse Peg près de la fontaine des cygnes. Puis il prend Bloom par la main. Les deux fiancés se dirigent vers un petit kiosque tout en marbre doré et pierre blanche. Kiko est épuisé. Le cheval, c'est pas son truc !

— Alors ma chérie, comment se passe ta nouvelle vie de princesse ?

— J'ai un peu de mal à m'y habituer. Je ne sais pas si je suis vraiment faite pour ça.

— Je pense au contraire qu'il n'y a rien à redire, souligne Sky malicieusement en la détaillant de la tête aux pieds. De mon point de vue, tu es parfaite.

Ils s'assoient sous le kiosque. Les nymphéas sont en fleurs et le soleil se couche dans une explosion de rose et de rouge.

C'est dans ce décor de rêve que les deux amoureux s'embrassent.

Sur la terrasse du palais, Oritel et Marion observent les deux jeunes gens. Ils ont retrouvé leur fille et ils la couvent d'un regard à la fois tendre et protecteur.

Marion murmure :

— Tu te souviens, mon cher, quand nous étions à leur place ?

— Comment l'oublier ? C'est sous ce kiosque que je t'ai demandé ta main.

— Je pensais être la jeune fille la plus chanceuse de toute la dimension magique !

Marion tourne à nouveau la tête vers les deux jeunes gens et elle s'exclame soudain :

— Mais pourquoi est-ce que tu as fait tailler les haies ? Cet endroit était tellement romantique ! On pouvait s'y cacher sans risquer d'être dérangé.

— Et c'est exactement pour ça que j'ai fait tailler les haies, ma chère, répond le roi.

La reine éclate de rire et embrasse son mari. Ces deux-là sont amoureux comme au premier jour.

— Je voudrais te dire quelque chose, Bloom, chuchote Sky.

Il est terriblement sérieux.

— Je dois m'inquiéter ? Quand tu changes de ton aussi rapidement, c'est que tu as de mauvaises nouvelles à m'annoncer.

— Pas cette fois.

Sky la regarde droit dans les yeux.

— Il y a longtemps que je voulais te le dire, mais je ne sais pas très bien par où commencer.

— Alors commence par le commencement ! l'encourage Bloom avec un sourire désarmant.

— Tu sais, mon trésor… On a traversé beaucoup d'épreuves ensemble. Et on les a toutes surmontées. Alors aujourd'hui je voudrais te demander d'affronter avec moi l'épreuve la plus difficile de toutes.

— Laquelle ?

— Vivre avec moi pour le reste de nos jours, murmure Sky.

Et il ajoute solennellement :

— Bloom, veux-tu m'épouser ?

D'abord, Bloom reste sans voix. Puis elle parvient à murmurer :

— Sky… Je… Sky…

Le roi est inquiet.

— C'est un oui ou… un non ?

— C'est oui ! Mille fois oui !

Les deux amoureux s'embrassent avec passion.

— Que dirais-tu du premier jour du printemps ?

— C'est parfait, répond Bloom. Puis elle répète dans un murmure plein de promesses :

— Le premier jour du printemps…

Les deux amoureux s'embrassent une dernière fois. Ils doivent se séparer. C'est difficile après un moment pareil, mais il le faut. Sky retrouve les Spécialistes dans leur vaisseau et Bloom repart vers son château de princesse…

L'ombre
et la lumière

5

École de la Tour Nuage, souterrains secrets.

— Mission accomplie, Maîtresses.

Icy fait son rapport aux trois silhouettes imposantes qui flottent dans les airs. Stormy et Darcy sont restées quelques pas en arrière.

Là où se trouvent les Trix, c'est le règne de l'ombre. Pas le moindre rayon de lumière. Mais elles reconnaissent le rire victorieux des Sorcières Ancestrales. Les silhouettes sombres et froides de Lysliss, Tharma et Belladone s'approchent. Instinctivement, Icy recule.

— Très bien, susurre Lysliss d'une voix rauque.

— Vous avez rencontré ces stupides petites fées ? demande Tharma.

— Ces idiotes ne se sont aperçues de rien. Notre coup était très bien monté, répond Icy.

— Je dirais même qu'il était parfait, ajoute Stormy. Et Darcy a trouvé ce que vous cherchiez.

Lysliss explose d'un rire grossier qui fait fuir une colonie de chauves-souris pendues au plafond.

— Bravo ! Ces imbéciles seront bientôt punies pour tout ce qu'elles ont fait. Elles nous ont vaincues et elles ont détruit notre prison, le Cercle d'Obsidienne. Mais ce qu'elles ne savent pas, c'est qu'elles nous ont libérées. Elles vont payer ! Et cher !

Belladone s'avance d'un air menaçant.

— Assez bavardé. Où est-elle ?

Darcy lui montre ses mains ouvertes, sur lesquelles repose une boussole ancienne.

Belladone la lui arrache des mains.

— Enfin ! La boussole magique. Celle qui révèle les lieux les plus secrets et les mieux cachés, murmure Tharma.

— Comme, par exemple, le village des Pixies... murmure Lysliss.

À la simple évocation du lieu, l'aiguille de la boussole se met à bouger, un schéma magique apparaît dans les airs et l'aiguille indique une direction précise.

— À présent nous avons besoin de vous, petites sorcières, murmure Lysliss d'une voix mystérieuse. Car nous devons retrouver notre force.

— Nous sommes libres, mais nous sommes faibles, explique Belladone.

Les Trix écoutent attentivement. Elles lisent dans le regard mauvais des Sorcières Ancestrales que leur destin va se sceller par une victoire.

— Trouvez les Pixies, et anéantissez la force positive de l'Arbre de Vie ! ordonne Tharma. Ainsi, nous reprendrons le pouvoir.

Éraklyon, Palais des souverains.
À Éraklyon, le soir est tombé. Les fe-

nêtres du palais brillent dans la nuit royale et magique. Sky grimpe quatre à quatre le grand escalier jusqu'au vaste corridor qui mène à la salle du trône.

— Papa ! Papa ! crie Sky, très ému, en courant jusqu'au trône. J'ai une merveilleuse nouvelle à t'annoncer !

— Bien, mon fils. Le bonheur d'un roi fait le bonheur de son royaume.

Erendor est assis sur le trône. Il a l'air soucieux, mais il sourit à son fils.

— Je veux que tu sois le premier à l'apprendre. Bloom et moi allons nous marier.

Voilà. C'est dit ! Sky sourit fièrement. Mais à sa grande surprise, son père ne paraît pas enchanté par la nouvelle. Il est soudain plus pâle et son regard s'est assombri.

— Quelque chose ne va pas ? demande Sky.

— Un mariage ! explose soudain Erendor. C'est… C'est impossible. Tu ne dois pas… Tu ne peux pas te marier.

— Comment ça ?

Sky est bouleversé. C'est sûr, c'est un affreux cauchemar. Il va se réveiller.

— Tu n'épouseras pas la fille d'Oritel, gronde Erendor. C'est hors de question !

Planète Domino, Palais Royal.
Après avoir quitté Sky, Bloom a couru retrouver ses parents. Elle est très émue. Son cœur bat la chamade, sa gorge et son ventre sont noués…

« Je suis malade, se dit-elle, malade d'amour ! »

Oritel et Marion sont en train de prendre le thé dans l'un des nombreux salons du palais, le « Salon Rose Abricot » (on l'appelle comme ça à cause de la couleur des murs). Bloom trouve la pièce plus resplendissante que jamais. Tout brille d'un éclat nouveau, tout lui semble plus beau.

— Tu vas bien ? demande Oritel affectueusement.

Bloom a les joues rouges et l'air un peu égaré.

Son cœur bat à tout rompre dans sa poitrine, elle a les mains moites.

— Maman, Papa... se décide-t-elle enfin. J'ai quelque chose à vous annoncer.

Bloom reprend son souffle.

— On va se marier. Sky et moi on va se marier !

— Oh Bloom !

Marion se lève d'un bond et serre sa fille dans ses bras.

— Bloom, ce garçon est parfait ! s'exclame Oritel. Nous allons organiser le plus beau mariage que Domino ait jamais connu. Nous inviterons les grandes familles de toute la dimension magique, ce sera féerique.

— Oh, merci Papa !

Bloom lui saute dans les bras.

— Allez, ma chérie. Prépare ta liste des invités...

Éraklyon, Palais des souverains.

Le premier choc passé, Sky s'est ressaisi. Il doit y avoir une explication.

— Papa, qu'est-ce qu'il y a ? Tu dois me dire la vérité.

— Ce secret me tourmente depuis des années, soupire Erendor. C'est trop lourd à supporter et je ne peux pas l'oublier. Je te l'ai caché le plus longtemps possible, mais je savais

qu'un jour je de-
vrais tout te dire.

Erendor soupire.

— Le moment est
venu, je crois. Tu dois
savoir.

— Savoir quoi ? demande
Sky, qui n'en peut plus
d'attendre.

Pour toute réponse, Erendor
pose la paume de sa main sur
une pierre du mur derrière le
trône, déclenchant un mécanisme
secret. Toutes les pierres s'ouvrent et
dévoilent un paysage magique, plus
vrai que nature.

— C'est Avram ! s'exclame Sky.

— Oui. Mais c'est Avram avant la
malédiction, quand le soleil brillait
encore sur la cité et sur son peuple.

Erendor touche un renfoncement

57

dans une partie du mur qui dévoile un cristal magique. Le roi prend délicatement le cristal et le tend à son fils. À l'intérieur, il y a un parchemin enroulé sur lui-même. Par magie, le cristal s'ouvre et libère le parchemin, qui reste suspendu dans les airs jusqu'à ce que Sky s'en saisisse.

— Lis, dit Erendor. C'est la vérité. J'ai écrit ces aveux pour toi, pour qu'un jour tu puisses voir, savoir et comprendre. Et ne jamais oublier.

Le père de Sky se rassoit lourdement sur son trône. Il semble désespéré.

— Je suis responsable du malheur de Domino. À cause de moi, le royaume a injustement souffert. Tout ce qui nous reste à faire, c'est implorer ses souverains pour qu'ils nous oublient. Il est impossible de réparer le mal que j'ai fait...

Une vie pleine de surprises

Au palais de Domino, la journée est consacrée à la préparation de la fête. Les trois dames de compagnie de Bloom sont dans tous leurs états. Elles raffolent des histoires d'amour !

Le roi Oritel est enfermé dans son bureau, se débattant avec la liste des invités, plus longue en effet que tout ce qu'il aurait pu imaginer. Quant à Marion et Bloom, elles se consacrent à l'activité la plus amusante qui soit : le choix de la robe de mariée.

Pour conclure une aussi belle journée, Bloom décide d'aller faire une promenade avec Peg. Le soleil se couche sur Domino, teintant le ciel de couleurs fantastiques. Au sommet d'une colline, Bloom admire le spectacle sur le dos de Peg. Jamais elle ne s'est sentie aussi sereine.

Soudain son téléphone sonne. Sur l'écran, elle voit s'afficher le nom de Sky !

— Bloom, je dois te dire quelque chose.

— Que tu m'aimes à la folie ? plaisante Bloom.

— Je suis désolé. Je ne sais pas comment te l'annoncer. Je ne voulais pas te le dire au téléphone, mais…

— Qu'est-ce qui se passe, mon chéri ? Ça n'a rien à voir avec notre mariage, si ?

Bloom est soudain traversée par un frisson glacé.

— Nous ne pouvons plus nous marier, murmure Sky, la voix brisée. Pardonne-moi mais c'est impossible. Je n'ai rien d'autre à te dire…

Et brusquement, il coupe la communication.

Sans même savoir comment, Bloom parvient à rentrer au palais. Elle ne voit plus rien. Le monde s'est tout à coup obscurci. Rien d'autre n'existe que sa douleur. Elle se précipite dans sa chambre et claque la porte. Puis elle se jette sur son lit en pleurant.

Quelques heures plus tard, la tristesse s'est abattue sur le palais des rois de Domino.

— Alors ? demande Oritel à Marion, qui sort doucement de la chambre de sa fille.

— Elle s'est endormie.

Le roi ne décolère pas.

— Je vais de ce pas parler avec Sky. Il me doit quelques explications !

— Tu ne vas rien faire du tout, réplique fermement Marion. Notre fille est parfaitement capable de régler ça elle-même. Il ne faut jamais se mêler de leurs affaires de cœur.

— Mais Marion ! Personne n'a le droit de traiter la princesse de Domino de cette manière. Je ne le tolérerai pas. Dire qu'Erendor est un homme de parole ! Comment est-ce possible que son fils lui ressemble si peu ?

— Peut-être l'avons-nous surestimé, soupire Marion. Il n'y a que Bloom qui puisse répondre à cela. Elle doit lire la réponse dans les yeux de Sky. Si elle arrive à lui parler, elle saura.

— En tout cas, ce comportement est intolérable et immature. Mais je sais comment y remédier !

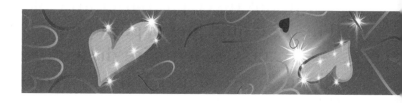

Planète Solaria, Château des souverains.
La princesse du soleil et de la lune se prélasse dans ses appartements. Assise par terre, en peignoir, elle soigne sa pédicure. La télévision est allumée sur la chaîne *It's Magix*. C'est la même journaliste que le jour de la fête à Alféa. Elle se met à com-

menter tous les potins mondains.

— *En exclusivité pour* It's Magix, *nous allons maintenant partir pour Domino. Qu'y a-t-il de plus glamour que des noces princières ? Restez avec nous, et vous saurez tout sur le mariage du siècle !*

« Tiens, se demande Stella. De qui est-ce qu'ils parlent ? »

La journaliste continue :

— *La princesse de Domino va annoncer à toute la dimension magique son mariage. Ainsi que le nom de l'heureux élu, naturellement.*

Stella envoie balader son vernis. Qu'est-ce que c'est que ce cirque ? Elle pousse un hurlement, et elle se jette sur son téléphone. Elle compose en un éclair les numéros de Layla, Flora, Musa et Tecna. Puis elle active la fonction « vidéoconférence ». Là, il y a urgence !

Palais Royal de Domino, 8 h du matin.

La fonction « réveil » du téléphone de Bloom sonne sans interruption. La veille, elle a fini par s'endormir après avoir pleuré de longues heures dans les bras de Marion.

La fée s'arrache au sommeil, prend son portable, et les yeux encore embués par les larmes et la mauvaise nuit, elle remarque que l'écran indique :

3 appels manqués : Musa

5 appels manqués : Stella

4 appels manqués : Tecna

6 messages de Flora

7 appels manqués : Layla

— On dirait que tout le monde a cherché à me joindre, murmure-t-elle, surprise. Qu'est-ce qui se passe ?

Elle se frotte les yeux. Elle aimerait

tellement dormir. Dormir, et tout oublier. Mais elle a entendu du bruit derrière la porte. Elle sort de sa chambre. Tout a l'air normal. Un peu trop normal même. Le salon est particulièrement beau. On a sorti l'argenterie, disposé un peu partout de grands vases de fleurs fraîches. Pourtant, aucune fête n'est prévue…

Soudain, ses trois dames de compa-

gnie se matérialisent comme par en-
chantement. Elles lancent en chœur
un joyeux :

— Bonjour, princesse !

La jeune fée n'a pas le temps de
dire « ouf » que déjà les trois femmes
s'affairent autour d'elle.

— Nous avons si peu de temps pour
nous habiller, dit Miss Olivia.

— Et pour nous maquiller, ajoute
Miss Carlotta.

— Mais qu'est-ce qui se passe ? demande Bloom, complètement pani-
quée.

Les événements de ces derniers
jours ne sont-ils pas suffisants pour
une vie entière ?

Pendant ce temps, les jardins du
palais sont en pleine effervescence,
envahis par une foule élégante et dis-

tinguée : dames en habits, princes en uniformes, fées resplendissantes.

Lorsque Sky se présente aux portes du palais, il se heurte à des gardes en livrée.

« Qu'est-ce qui se passe ici ? » se demande le jeune homme.

Il essaie de passer, mais les gardes l'en empêchent.

— Vous désirez ?

— Je suis le roi d'Éraklyon, et je viens voir la princesse Bloom.

Sky est sûr de lui.

— Vous n'êtes pas sur la liste des invités.

— Pardon ?

— Je suis désolé. Mais si vous n'êtes pas sur la liste, vous ne pouvez pas entrer.

— Quelle liste ? Quels invités ?

Sky commence à s'impatienter. Il

se demande si ce n'est pas une mauvaise blague.

— Vous faites erreur, je crois. Je viens de vous dire que je suis le roi d'Éraklyon…

— Seuls ceux qui sont sur la liste ont le droit d'entrer, répète le garde d'une voix monocorde.

Sky n'en revient pas.

— Mais je dois voir Bloom ! crie-t-il.

— Désolé. Vous n'êtes pas...

— Sur la liste ! J'ai compris.

Furieux, Sky s'éloigne à grandes enjambées, et bouscule sans le faire exprès deux princes en visite, ridicules dans leurs uniformes d'apparat. L'un des deux réagit au quart de tour :

— Tu ne peux pas faire attention ? lance-t-il grossièrement, en tutoyant Sky.

— Et vous ? D'ailleurs où allez-vous

si vite ? répond Sky, sur les nerfs.

— Tu vois ce palais ? Eh bien là-dedans, il y a une princesse. Elle attend son Prince Charmant.

— Tiens donc !

— Et ça pourrait bien être l'un de nous deux, ajoute l'autre, très sûr de lui.

— À votre place, je n'y compterais pas trop, lance Sky.

Sa colère a atteint la zone rouge, et il préfère en rester là plutôt que de faire quelque chose qu'il pourrait regretter. Qui sont ces deux idiots ? En tout cas eux, ils ont une invitation...

Les Winx aussi sont arrivées à Domino. Après

avoir essayé de joindre Bloom sur son portable, elles ont décidé qu'il était temps de faire ce qu'elle font le mieux : c'est-à-dire passer à l'action.

— J'espère que Bloom a une bonne explication, lance Stella, furieuse.

Si elle n'était pas aussi inquiète, elle serait très vexée.

— J'aimerais surtout qu'elle nous dise pourquoi nous ne sommes pas invitées, s'écrie Tecna.

Les fées ont sorti leurs plus belles robes. Stella en porte une magnifique, dorée et orangée, les couleurs du soleil. Flora a misé sur un style romantique, comme toujours : longue jupe corolle en pétales de taffetas rose. Layla a choisi une robe verte à fines bretelles, avec de longs gants en dentelle. Tecna est inhabituellement élégante (elle qui aime le confort avant tout), dans son bustier en strass. Musa, très originale, porte une robe drapée dévoilant une épaule.

Bref, les Winx sont parfaites. Comme d'habitude.

Lorsqu'elles arrivent aux grilles du palais, elles se heurtent à leur tour aux gardes.

— Bonjour, murmure Flora, toujours bien élevée.

— Vous désirez ? demande le garde, impassible.

— Je suis Flora, Fée Gardienne de Linphéa. Mes camarades et moi-même sommes venues voir la princesse Bloom. On est ses amies.

— Si vous n'êtes pas sur la liste, vous ne pouvez pas entrer, répond le garde, laconique.

— Et vous n'êtes pas sur la liste, ajoute l'autre garde.

À croire qu'il la connaît par cœur, la liste des invités !

Comme avec Sky, le manège du « vous n'êtes pas sur la liste » recommence. Mais les vigiles ne connaissent pas les Winx. Et surtout pas Stella. La fée sent que la moutarde lui monte au nez :

— Écoutez-moi bien, monsieur « vous n'êtes pas sur la liste ». Je ne suis peut-être pas sur votre précieuse liste, mais je dois entrer. Et croyez-moi, c'est ce que je vais faire !

Le garde tente de répéter sa phrase fétiche, mais Stella ne le laisse pas finir :

— Je crois que vous n'avez pas bien compris. Je suis Stella, princesse de Solaria. Je suis une Winx. Je suis une Fée Gardienne ! Et surtout…

Elle s'avance vers l'homme d'un air menaçant :

— JE SUIS LA MEILLEURE AMIE DE BLOOM ! POUSSEZ-VOUS DE LÀ ET LAISSEZ-MOI PASSER !

Hors d'elle, elle donne un coup de pied dans le genou de l'un des gardes et un coup de coude au second. Les deux hommes perdent l'équilibre et tombent à la renverse.

— On y va, les filles, on n'a pas que ça à faire !

Le défilé des prétendants

D'un pas décidé, les Winx entrent dans les jardins du palais.

— C'est donc vrai ce qu'on dit, lance Layla, amusée. Des soldats peuvent arrêter une armée, mais ils ne peuvent rien faire contre une jeune fille en colère.

— Surtout si la jeune fille, c'est moi, rétorque Stella, assez fière d'elle.

Sky a assisté à toute la scène. Il vient d'avoir une idée. Derrière ses amies les fées, il y a les deux princes de pacotille avec lesquels il a bien failli se battre un peu plus tôt. Profitant de l'absence momentanée du service d'ordre, il les tire par le col et les entraîne tous les deux derrière un buisson. On voit bien quelques feuilles voler, et plusieurs branches bouger. Puis plus rien. Vérifiant que personne ne s'est aperçu de son petit manège, Sky passe la tête par-dessus la haie. Il a l'air ravi.

— SOOOOOORTEEEEEEEZZZZZ !
— C'est la voix de Bloom, hein ?

Stella et ses amies se sont arrêtées net devant la chambre de leur amie. Elles voient sortir en trombe les trois dames de compagnie, qui battent en retraite, attaquées par un escarpin et une brosse à cheveux.

— C'est possible que Bloom soit plus en colère que moi ? demande Stella. Je ne l'ai jamais vue dans cet état.

Les fées passent la tête par la porte. Bloom est assise en tailleur sur son lit à baldaquin. Malgré le décor de rêve, elle a l'air triste.

— Il paraît qu'on donne des chaussures par ici ? Il vous reste un 38 ?

— Stella ! Flora ! Qu'est-ce que vous faites là ?

Bloom accueille les fées avec un petit sourire, mais la blague ne la fait pas rire. Elle serre longuement ses amies dans ses bras.

Stella entre dans le vif du sujet.

— Pourquoi est-ce que tu ne nous as pas prévenues ? À la télévision, ils n'arrêtent pas de dire que tu vas annoncer ton mariage.

— Mon mariage ?

Bloom n'en croit pas ses oreilles.

— Mais Sky vient de me quitter !

— C'est impossible ! s'exclame Musa.

— Il y a trois jours, il a demandé ma main. Et hier, sans explication, il m'a quittée.

— Raconte-nous tout depuis le début.

— Je crois qu'il n'y a pas grand-chose à dire.

Les fées sont interrompues par le père de Bloom, qui vient d'entrer dans la chambre. Les fées saluent poliment le roi.

— Bonjour, les filles.

— Il me semble que quelqu'un doit m'expliquer ce qui se passe. Tu veux t'en charger, papa ? demande Bloom.

— Comme je te le disais, répond Oritel d'une voix douce, mais ferme.

Ici nous avons des règles. Pourtant, même les règles les plus strictes ont leurs exceptions. Et j'ai décidé de faire une exception pour toi. Je te laisse donc choisir ton mari parmi les représentants des meilleures familles de la dimension magique. Tu vas tous les rencontrer aujourd'hui, et ce soir tu nous diras qui aura l'honneur de t'épouser. Maintenant, prépare-toi, ma chérie. Tu dois être parfaite.

— C'est un cauchemar, annonce Bloom, atterrée.

Le roi Oritel ne lui a pas laissé le choix. Elle doit oublier Sky et désigner un prétendant parmi tous ceux qui vont se présenter devant elle.

Toute la journée, les princes des planètes voisines défilent, ou trop laids, ou trop stupides pour que Bloom puisse ne serait-ce qu'une seule seconde envisager d'oublier Sky. Poliment, elle les reçoit un par un. Certains sont assez drôles, ou ont l'air plutôt gentils. Mais Bloom doit les repousser, en veillant à ne pas être grossière. Enfin, le garde annonce :

— Il n'y a plus personne, princesse.

— Tant mieux.

Bloom pousse un soupir de soulagement, quand soudain une silhouette se dessine dans l'encadrement de la porte.

— Je vous demande pardon, je suis très en retard...

— Le prince Hélios, annonce le garde. De la planète d'Akron.

Le jeune homme est vêtu d'une manière totalement ridicule, comme s'il sortait d'un film de cape et d'épée. Il porte un drôle de chapeau à plumes, une veste trop courte et un pantalon bouffant rentré dans ses bottes.

Mais Bloom le reconnaît immédiatement. Sous les yeux effarés de ses amies, elle descend doucement de son trône et s'approche de lui, les yeux rivés sur ceux du prince.

— Où vas-tu, ma belle ? lui demande Stella.

Bloom ne répond pas. Elle est comme hypnotisée.

— Sky ? C'est toi ? murmure-t-elle.

— Je devais absolument te parler, pour tout t'expliquer, mon amour.

81

Sky a volé l'identité et les vêtements du prince Hélios pour arriver jusqu'à elle. Il est venu lui apporter le cristal magique de son père.

Les autres Winx, qui ne l'ont pas reconnu, sont complètement perdues.

— Qu'est-ce que c'est ? demande Bloom.

— C'est l'explication. Lis et tu comprendras. Je te promets que je vais trouver le moyen de tout arranger. Bientôt on sera de nouveau ensemble. Et rien ne pourra plus nous séparer. N'oublie pas que je t'aime.

Ils s'embrassent passionnément, sous les yeux horrifiés des Winx.

Mais soudain, Oritel est à la porte.

— Alors comme ça tu t'es décidée, ma chérie ? lance-t-il d'un ton sarcastique.

— Oui, Papa.

— J'en suis heureux. Le prince Hélios, c'est bien cela ?

Sky est sur le point de répondre, mais Oritel ordonne :

— Gardes ! Arrêtez-le !

Aussitôt, sous les yeux effarés de Bloom, les gardes croisent leurs épées devant le pauvre Sky.

— Que faites-vous ? s'écrie Bloom, au bord des larmes.

— Tu vas regretter de t'être moqué de la princesse de Domino ! explose le roi. Comment oses-tu pénétrer dans mon palais sous une fausse identité ?

D'un geste, il arrache le chapeau de la tête de Sky, découvrant ses cheveux.

— C'est Sky ! s'exclame Flora.

— Monsieur, ne me jugez pas trop vite…

Sky est immobile devant le roi de Domino, bloqué par les gardes.

— Papa ! Laisse-le s'expliquer !

— Il n'y a plus rien à expliquer. Tu es entré ici sous une fausse identité et tu as joué avec les sentiments de ma fille. Je ne te le pardonnerai jamais !

Les gardes pressent la pointe de leur épée contre le cou de Sky. Soudain, Bloom sent la colère monter. Elle hurle :

— Reculez !

Par magie, un souffle de feu atteint les gardes et fait voler loin d'eux leurs lances effilées, qui viennent se planter dans le velours rouge du trône.

— Laissez-le parler !

Sky tend le cristal magique à Oritel, mais le roi, furieux, le balaie d'un revers de la main et l'envoie valdinguer sur le sol. Le cristal roule jusqu'aux pieds de la reine Marion.

— Sky d'Éraklyon ! Tu as trahi ma confiance. Tu es banni pour toujours de ce royaume !

Inutile d'insister. Malheureux et blessé, Sky s'éloigne vers la sortie.

Lui ? Banni ? Quelle injustice.

— Sky ! Attends ! lui crie Bloom.

Oritel essaie de la retenir :

— Laisse-le partir. La princesse de Domino n'épousera pas un homme

85

qui ne respecte pas sa parole.

À la porte, Bloom se tourne une dernière fois vers son père.

— Papa, tu me demandes vraiment de choisir entre le royaume et Sky ? Tu n'as pas compris que le choix est vite fait ?

Suivie par les Winx, elle s'enfuit dans le parc du château en criant le nom de son amoureux.

Les Trix passent à l'action

Village des Pixies.

Les branches des arbres sont tellement épaisses qu'elles cachent les lueurs rosées du ciel. Dans le village, on dirait que la nuit est déjà tombée.

— On y est, murmure Icy.

Elle serre dans ses mains la boussole volée à Alféa. L'objet est ancien et d'une valeur inestimable. Les sorcières s'enfoncent dans la végétation, faite de buissons bas et de branches noueuses. Elles marchent encore un peu, suivant toujours les indications de la boussole. Un hologramme verdâtre apparaît aux quatre points cardinaux, indiquant la direction à suivre.

— Vous êtes prêtes ? demande Icy, en s'arrêtant devant les branches entremêlées d'un vieux noyer.

— Oui, répond Darcy, impatiente de découvrir enfin le village des Pixies.

Icy soulève les branches et s'exclame :

— Bingo !

Le village des Pixies est en pleine effervescence. Les Pixies sont en effet en train de décorer les rues du village. Elles essaient de suspendre aux portes des maisons des lanternes multicolores. On dirait que les Pixies préparent une maxi-fête.

— En multipliant le degré d'illumination de chaque lampion par la racine carrée de la moyenne de réfraction, l'ombre diminuera de 64 %, calcule Digit, sérieuse et professionnelle.

— Quelle barbe, Digit ! s'exclame Chatta. Ce qui compte, c'est que notre village soit super-hyper scintillant !

— Chatta ! la gronde Tune. Au lieu de parler, tu pourrais nous aider un peu, pour changer.

Soudain, on entend un bruit de branches cassées.

— Quel spectacle adorable ! lance méchamment Icy en apparaissant comme par magie devant les Pixies.

— Surprise ! ajoute Stormy.

La sorcière déteste les insectes,

et ces êtres inutiles ressemblent à d'horribles petits insectes qu'il suffit d'écraser sous sa botte.

— Les Trix ! hurle Tune, plus étonnée qu'effrayée. Qu'est-ce que vous faites ici ?

— Qu'est-ce que vous nous voulez ? demande Digit.

Son esprit mathématique est déjà en train d'établir des statistiques de probabilité. Comment les Trix ont-elles fait pour trouver le village, protégé depuis des siècles par la forêt ? Le pourcentage pour qu'elles aient réussi sans aide est proche de zéro, c'est sûr.

— Ce n'est pas vous que nous voulons ! crache Stormy.

Et elle éclate de rire en levant les bras au ciel. Des nuages noirs s'amoncellent au-dessus de leurs têtes. Le vent se lève et balaie les rues du village. Les Pixies comprennent alors que le danger est bien réel, et qu'il ne s'agit pas d'un cauchemar. Elles se mettent à hurler.

Gardenia, sur Terre.

Au même moment, très loin de là, à Gardenia, le ciel teint en rouge les rues et les ruelles. Les Winx approchent de la maison de Mike et de Vanessa. Dans les moments de crise, c'est souvent là qu'elles se réfugient pour réfléchir et trouver des solutions. Elles se sont changées et portent des vêtements de ville, nettement plus confortables que leurs robes de bal.

Au moment où Bloom s'apprête à embrasser ses parents adoptifs, surpris mais heureux de la voir débarquer à l'improviste avec ses amies, les Winx sont prises de terribles maux de tête. Elles viennent d'entrer en connexion avec les Pixies et leur esprit est envahi de visions qui montrent leurs amies en train de se battre contre les Trix...

Village des Pixies.

Les Pixies sont désormais prisonnières des Trix dans leur propre village.

— Bon alors, qu'est-ce qu'on fait, maintenant ? demande Stormy.

Icy observe la boussole, qui envoie des hologrammes directionnels.

— On y va, c'est par là. Suivez-moi.

Elle indique un endroit où le bois est plus sombre, juste derrière le village, et les Trix s'enfoncent dans la forêt aux arbres centenaires.

Le silence est presque parfait. Seulement troublé de temps à autre par le chant d'un oiseau de nuit. Les Trix finissent par arriver dans une clairière. Au milieu se dresse un arbre complètement différent de tous les autres. L'arbre est très grand, et son écorce est faiblement éclairée par des veinures dorées qui brillent, comme traversées par une sève magique. L'arbre est bicolore : un côté clair et feuillu, un autre sombre et fané.

— C'est l'Arbre de Vie, murmure Icy. Ça a été incroyablement facile de le trouver.

— Enfin, souffle Darcy.

— C'est stupéfiant, siffle Stormy.

— Cet arbre maintient l'équilibre entre l'énergie positive et l'énergie négative : c'est le cœur de la dimension magique, explique Icy.

Stormy et Icy effleurent l'écorce luminescente qui se met à briller encore plus fort.

— Je sens sa force, murmure Stormy.

Darcy effleure l'arbre elle aussi. Mais lorsqu'elle touche la partie claire, celle du Bien, elle se brûle. Elle pousse un cri de douleur, et de peur.

— Le sort que tu veux accomplir est puissant et dangereux, Icy. Tu es sûre de toi ?

— Naturellement !

— Alors on y va.

Les Trix posent les mains sur

l'écorce de l'arbre. L'arbre se met à palpiter plus faiblement. Elles entonnent alors un très vieux sortilège :

Au nom des mères de toutes les sorcières. Nous te commandons, grande ombre, Dresse-toi, haute et obscure… Dresse-toi et pour toujours éteins la lumière du Bien…

Peu à peu, les pulsations de l'arbre ralentissent. La partie claire commence à disparaître, remplacée petit à petit par la partie obscure. Une ombre envahit l'arbre et prend possession de chaque feuille, chaque racine et chaque fibre.

Nous te commandons, énergie obscure, de te dresser. Que l'énergie positive s'éteigne et que la grande ombre règne, incontestée.

— Mes sœurs, regardez-le faner et se flétrir. Regardez et savourez. En disparaissant, l'arbre emporte avec lui toute la magie des fées !

Magix, université d'Alféa.

La surveillante Griselda marche à pas rapides dans les couloirs de l'université. Elle doit absolument parler à Mme Faragonda. Il n'y a pas une seconde à perdre. Elle frappe à porte et entre sans attendre.

— Madame Faragonda, il vient de se passer quelque chose d'horrible !

— Je sais.

La directrice est déjà au courant de tout. Sur son bureau, l'ordinateur est allumé. Il projette un hologramme magique : depuis le village des Pixies, Digit est entrée en contact avec Alféa, et elle lui a montré les Trix. En anéantissant l'Arbre de Vie, les Trix ont dérobé la magie positive. Les fées n'ont plus aucun pouvoir.

— Je crois que nous devons nous préparer à des temps difficiles... murmure la directrice.

Gardenia, chez Mike et Vanessa.

Bloom se réveille en sursaut. Elle est sur le canapé du salon. À sa gauche, Stella, encore évanouie. À sa droite, Layla. Bloom se redresse et se souvient qu'elle a perdu connaissance.

— Les filles, réveillez-vous, les Pixies sont en danger ! Elles ont besoin de nous !

Ses amies sortent elles aussi de leur torpeur.

— Vite, dit Stella. Transformons-nous ! Winx Believix !

Sa main tourbillonne dans les airs, mais tout ce qu'elle réussit à produire, c'est une longue traînée d'étincelles.

— On n'a plus de pouvoirs, murmure Bloom. Il doit se passer quelque chose de grave !

Domino, Palais Royal.

Le roi Oritel est accoudé à la balustrade sur la terrasse de sa chambre. Il est triste et préoccupé. Sa femme s'approche de lui en silence. Elle l'aime, et elle l'a toujours soutenu. Mais cette fois il est allé trop loin.

— C'est de notre faute si nous avons perdu notre fille une fois de plus, dit le roi.

— Ce que tu dis est injuste, répond Marion.

Et elle lui tend le cristal magique.

— Je crois que nous devons des excuses à ce pauvre garçon.

La vie sur Terre

Gardenia, chez Mike et Vanessa.

Les Winx se sont installées chez Mike et Vanessa. C'est un plan d'urgence, certes, mais elles étaient loin d'imaginer ce que ça représente. La maison est parfaite pour deux, agréable pour trois, mais totalement invivable à huit ! Pendant que Stella cherche désespérément une petite place où ranger ses affaires, une queue s'est formée devant la porte de la salle de bains. Six fées, ça met du temps à se préparer ! Même chose à l'heure du repas, que l'on doit prendre à tour de rôle car la cuisine n'est pas assez grande pour tout le monde !

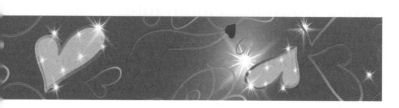

Après une journée de courses et de ménage, et tout cela sans la moindre aide magique, les fées décident de faire une promenade dans le parc. Elles s'allongent dans l'herbe et admirent le magnifique coucher de soleil. Ce soir, la Terre semble aussi féerique que Magix.

— C'est plus fatigant de sauver le

monde ou de faire le ménage ? demande Musa.

— Faire le ménage ! répond Stella avec une moue de dégoût.

— Mais Stella ! Tu n'as rien fait ! dit Bloom sur un ton de reproche.

— Aujourd'hui, j'ai vécu une expérience nouvelle, émouvante et surprenante, dit Flora.

— Sans pouvoirs, on n'a pu compter que sur nous-mêmes pour atteindre nos objectifs.

— Et puis à la fin, c'est gratifiant de voir le fruit de ton travail, ajoute Musa.

— Tu parles ! lance Stella d'un air dédaigneux. Vous êtes en train de me dire que c'est génial de se fatiguer !

Soudain, Bloom se lève et s'éloigne en silence.

— Qu'est-ce qui lui prend ? murmure Musa.

— Je crois qu'elle a besoin de rester seule, répond Flora. Sky lui manque, Domino est loin, et ses parents naturels l'ont déçue.

Bloom se promène dans les allées du parc. Les feuilles rosissent sous l'effet du coucher de soleil. Les marguerites sont en fleurs. Bloom adore cet endroit, car il lui rappelle son enfance. À cet instant, son téléphone se met à sonner. C'est Sky, enfin ! Bloom active la fonction « hologramme » et le téléphone projette un faisceau de lumière devant elle. Sky se matérialise. Ce n'est pas comme s'il était là en chair et en os, mais c'est toujours mieux que rien.

— Sky !

— Mon amour !

— Que c'est bon de te revoir...

— Je suis désolé pour tout ce qui est arrivé. Je ne voulais pas te faire souffrir. Je ne sais pas comment m'excuser.

— C'est moi qui dois te demander pardon pour le comportement absurde de mon père.

— Je le comprends. Il veut seulement te protéger, tu sais.

— Oh, Sky ! Que c'est dur d'être si loin de toi.

— Bloom, annonce Sky tout à coup. Je sais ce qui est arrivé à l'énergie positive de Magix.

— Quoi ?

— C'est une longue et pénible histoire. Tout a commencé avec mon père et la destruction de Domino.

— Domino ?

— Oui mais pour l'instant je ne peux pas t'en dire plus. Rejoignez-

moi le plus vite possible à Éraklyon,
Timmy va venir vous prendre avec le
vaisseau. Préparez-vous.

Bloom court retrouver ses amies.

— Les filles ! Il y a du nouveau ! On
doit repartir immédiatement.

— Déjà ? Mais on vient à peine d'arriver ! Et on va où ? demande Layla.

— À Éraklyon. C'est une question
de vie ou de mort.

— Oh non ! Voi-
là que ça recom-
mence, lance Stella
d'un air faussement
désespéré.

En fait, elle est tout
simplement ravie…

Lorsque les fées vont
chez Mike et Vanessa

pour leur dire au revoir, elles sont stupéfaites de trouver Oritel et Marion, confortablement installés dans le salon devant une vidéo de Bloom enfant. Bloom est très contrariée.

— Papa, qu'est-ce que tu fais là ? s'exclame-t-elle.

Mike et Oritel se sentent tous les deux concernés.

— Toi, dit Bloom en montrant Oritel.

Puis s'adressant à Mike :

— Pas toi.

— Je dois te parler, répond Oritel, prudent.

— Si tu es venu me demander d'oublier Sky, tu perds ton temps. Je pars justement à Éraklyon. Vous venez, les filles ?

Puis elle tourne les talons et sort de la maison, suivie de ses amies.

— Bloom ! Ce n'est pas ça ! Ne t'en va pas, attends !

— Laisse, Oritel. Je m'en occupe. Je vais lui parler, dit Mike.

Mike rejoint Bloom dans le jardin. Ce n'est pas facile d'être le père d'une fille de dix-huit ans, surtout si celle-ci est une fée, que ses vrais parents sont le roi et la reine d'une lointaine planète, et qu'ils sont totalement dépassés !

— Bloom ! Attends-moi !

Lorsqu'elle reconnaît la voix de son père adoptif, Bloom s'arrête.

— Mike. Je suis désolée.

Mike ne répond pas, il se contente de la prendre dans ses bras.

— J'étais revenue à la maison pour vous dire au revoir, mais quand j'ai vu Oritel et Marion, ça m'a complètement bouleversée. Ce n'était pas une raison pour m'enfuir comme ça. Je te demande pardon.

— Ce n'est pas grave du tout. Je suis bien placé pour savoir que les relations entre parents et enfants sont difficiles ! Pour Oritel et Marion, c'est encore plus dur, ils doivent rattraper le temps perdu !

— Oui mais là il ne s'agit pas seulement d'eux, ou de moi. L'enjeu est beaucoup plus important !

— Je sais, soupire Mike. Il s'agit de sauver l'univers, n'est-ce pas ? Comme d'habitude…

Mike lui caresse la joue et dit dans un souffle :

— Vas-y, je me charge de leur expliquer.

— Merci, Papa.

Le vaisseau des Spécialistes décolle. Bloom regarde en bas et voit ses quatre parents réunis. C'est franchement bizarre, mais elle a d'autres soucis en tête pour le moment.

« J'y penserai plus tard… » se dit-elle.
Pour le moment, elle est avec ses amies, et elle va retrouver Sky.

Village des Pixies.
Les trois Sorcières Ancestrales ont convoqué les Trix. Elles ont l'air furieuses. Il se passe sûrement quelque chose de grave.
Les Trix s'agenouillent devant le trône des Sorcières Ancestrales creusé dans l'Arbre de Vie. Il est plus prudent d'avoir l'air soumis. Elles gardent la tête et les yeux baissés.

— Nous vous avons fait venir car nous pensons qu'il reste une petite pousse d'énergie positive sur l'Arbre de Vie. Elle est apparue cette nuit, dit Lysliss, bouillonnante de rage.

Les Trix retiennent leur souffle.

— Notre pouvoir est encore le plus fort. Mais depuis un certain temps, je sens la présence de quelque chose qui ne devrait plus exister. Il faut intervenir avant qu'il ne soit trop tard.

Lysliss vole jusqu'au tronc de l'arbre. Et découvre quelque chose de petit et de lumineux.

— Ce n'est pas possible ! Ça ne peut pas arriver maintenant ! hurle Belladone.

Elle vient de voir une petite pousse verte, qui brille d'une lueur magique.

— L'Arbre de Vie ne peut pas re-fleurir ! siffle Tharma.

Stormy et Darcy sont alors saisies de frissons. Le pouvoir des Sorcières Ancestrales est bien plus fort que le leur. Il va falloir jouer serré si elles veulent sauver leur peau.

— Comment est-ce que c'est possible ? demande Icy d'une voix blanche.

— L'Arbre de Vie devrait être mort !

Lysliss essaie d'attraper le bourgeon magique avec ses doigts crochus, elle a l'intention de le détruire. Mais la douleur qu'elle ressent alors est tellement forte qu'elle doit le lâcher.

— Maintenant, je la sens. L'énergie positive est sur Éraklyon. J'en suis certaine.

— Alors tout ça, c'est la faute du roi Erendor.

C'est le moment que choisit Icy pour intervenir.

— Sorcières Ancestrales ?

— Que veux-tu ? Comment oses-tu prendre la parole sans y avoir été invitée ?

— Nous pouvons vous aider, si vous voulez, propose Icy en baissant la tête en gage de soumission. Nous pourrions nous occuper d'Erendor. Qu'en pensez-vous ?

— Pourquoi pas, répond Belladone.

— Très bien alors, conclut Tharma. Capturez-moi ce lâche ! Il doit avouer où il a caché notre cadeau.

— Un cadeau ?

— Il y a très longtemps, nous lui avons donné un sablier. Aujourd'hui, il doit nous le rendre. C'est simple, non ?

Pour toute réponse, Icy se contente de sourire.

Voyage vers le néant

10

Planète Éraklyon, au petit matin.
Les Winx et les Spécialistes, accompagnés de Peg, marchent vers un pic rocheux. On aperçoit au loin un grand portail de fer, qui ouvre sur un ponton. Au-delà du ponton, il y a un ravin. Sky tire sur de grosses cordes enroulées sur des poulies, faisant fuir mouettes et goélands. Soudain, comme par magie, un navire volant

apparaît, retenu au pic rocheux par des câbles et une passerelle.

— Quelle merveille ! s'exclame Bloom.

— Wow ! dit Musa.

Les Spécialistes sifflent d'admiration.

C'est un vieux vaisseau en bois, porté par deux grands ballons aérostatiques. Le navire flotte doucement dans les airs.

— Très pittoresque, commente Stella.

— Magnifique, ajoute Layla.

— En effet, c'est… comment dire… ancien, conclut Tecna. Mais pourquoi on n'utilise pas le vaisseau normal ?

— Notre objectif, c'est la ville d'Avram, explique Sky. Un endroit dominé par le Mal et brûlé par la magie obscure des trois Sorcières Ancestrales. Là-bas, rien ne fonctionne selon les règles habituelles, pas même la technologie.

— Je suis désolé, mais Sky a raison, ajoute Timmy. Dans la cité maudite, les objets électroniques ne fonctionnent pas. Il va falloir t'y faire.

— Mais… ? demande Stella avec son bon sens habituel. Si cet endroit est aussi dangereux, pourquoi on y va ?

— Parce qu'à Avram, on trouvera la réponse à toutes nos questions. Allez, tout le monde à bord !

— Quel endroit incroyable ! s'exclame Musa en courant sur le pont. Les ondes de magie obscure arrivent jusqu'ici. Je peux les entendre. On vole au-dessus d'une mer de maléfices.

— Moi je crois qu'on va bien s'amuser, dit Riven en s'agrippant au parapet. J'ai toujours adoré jouer aux pirates !

Timmy prend la barre, tandis que Tecna contrôle la direction du vent.

— On n'a pas de moteur à hyper propulsion, mais les vents sont avec nous.

Sur son ordinateur de poche, l'écran se met à trembler.

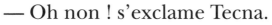

— Oh non ! s'exclame Tecna.

La lueur de l'écran vacille.

— Il s'est éteint !

— Tu vois. À partir de maintenant, on doit se passer d'informatique !

— Plus de pouvoirs, plus de technologie. J'ai le sentiment d'être complètement inutile.

— Ça va, en bas ? hurle Timmy aux autres Spécialistes, occupés à préparer le départ.

— On a presque fini, répond Hélia.

— Vous êtes prêts ? demande Nabu.

— Parés ! Levez l'ancre ! crie Brandon.

Bloom emmène Peg dans une cage prévue spécialement pour les animaux. La jument y sera en sécurité.

Les hélices du vaisseau commencent à tourner. La passerelle est rentrée. Le navire prend de la vitesse, puis il s'envole et se lance dans le ciel bleu. Stella est tout à fait à son aise dans ce nouveau monde fait de ciel et de lumière. Elle s'installe sur le pont et sort ses lunettes de soleil.

— Alors, Sky. Tu vas finir par me raconter, oui ou non ?

Bloom se tient debout à côté de son amoureux, à la proue du navire. Sky est appuyé au parapet en bois.

— Tu te souviens du cristal magique que j'avais avec moi à Domino ?

— Oui.

— Il renferme un précieux parchemin, et ce parchemin révèle toute la vérité. Car il n'y a qu'en comprenant le passé qu'on pourra sauver l'avenir…

Sky marque une pause.

— Je l'ai lu, Bloom.

— Et ?

— Tout a commencé à Avram, commence Sky d'un ton solennel.

Son regard est perdu au loin, vers la ville que l'on devine déjà à travers les nuages. Elle est sombre, inquiétante et entourée d'une aura négative.

— En ce temps-là, Avram était la plus belle ville d'Éraklyon. Aujourd'hui, ses ruines sont le symbole du déshonneur de mon père. Comme tu le sais, il y a dix-huit ans, les Sorcières Ancestrales ont essayé d'envahir la dimension magique. C'est pour les en empêcher qu'a été formée la Compagnie de la Lumière, un groupe de fées, de mages et de guerriers héroïques menés par tes parents.

— Je connais cette histoire par cœur !

Pendant que les Spécialistes rangent les provisions dans les cales, les autres fées s'approchent pour écouter l'histoire de Sky.

— Avant d'attaquer le royaume de Domino, les Sorcières Ancestrales ont découvert que mon père avait passé un pacte avec Oritel : Erendor devait défendre Domino jusqu'au retour de la Compagnie de la Lumière.

Mais les Sorcières ont détruit Avram pour lui montrer l'étendue de leurs pouvoirs, et elles l'ont obligé à se soumettre à leurs conditions. Elles ont promis d'épargner les autres villes d'Éraklyon s'il les laissait détruire Domino sans intervenir.

— Et il a accepté pour sauver son royaume, termine Bloom amèrement.

— Les Sorcières Ancestrales lui ont donné un sablier, avec un peu de pollen de l'Arbre de Vie. C'est ça qui a protégé Éraklyon de la tempête d'énergie obscure avec laquelle elles ont attaqué.

— Et après ?

— Mon père a assisté à la destruction de Domino sans réagir. Il ne s'est jamais remis de cette trahison. Depuis, les forces du Mal dévorent les rues d'Avram, et lui est rongé par le remord.

— Et le pollen ?

— Un jour, mon père s'est mis en colère et il a jeté le sablier par terre. Il s'est cassé, et le pollen a été libéré, créant un nouveau bourgeon. Un bourgeon qui rayonne de magie. Notre mission consiste à le retrouver...

Timmy interrompt la conversation des deux amoureux et montre l'énorme nuage dans lequel le navire est en train de s'engager. Une pluie d'éclairs vient frapper le navire, le faisant osciller comme un pendule fou.

Le nuage prend la forme des trois Sorcières Ancestrales. Elles sont gigantesques et monstrueuses, et elles les regardent avec des yeux jaunes et méchants. Leur rire résonne dans le

grondement du tonnerre et le claque-
ment des éclairs.

— Tenez-vous bien ! hurle Sky. Là-
bas ! Regardez, c'est Avram ! Il faut
atterrir ! À tout prix !

— On a perdu les hélices ! hurle
Flora.

Bloom a soudain une idée.

— Séparons-nous et attrapons
les deux cordages principaux de la
voile ! lance-t-elle.

Sky, Hélia, Timmy, Tecna, Stella et
Layla prennent l'une des deux écoutes
qui règlent l'orientation de la voile.
Bloom, Brandon, Riven, Nabu, Flora
et Musa se mettent à l'autre bout.

— À mon signal, tirez de toutes vos
forces ! continue Bloom. MAINTE-
NANT !

La voile se tend et vient s'opposer au
courant. Avec une violente secousse,

le navire reprend de l'altitude.

— Les Spécialistes, à l'action ! ordonne Sky. On doit freiner !

Hélia et Timmy lancent des grappins qui se plantent dans le sol. Le bateau est freiné, et finalement maîtrisé. Avec un bruit sourd, il vient cogner contre la terre ferme.

— Ouf, dit Sky en passant un bras autour des épaules de Bloom. On est arrivés à Avram.

— Oui, murmure Bloom. Mais qui sait ce qui nous y attend…

Avram,
la cité obscure

Éraklyon, salle du trône.

Erendor, dans la salle du trône, regarde fixement le mur qui dissimule son secret. Il est soucieux, il s'inquiète pour son fils.

Soudain, le mur explose dans un souffle puissant qui détruit le trône, et jette à terre le roi d'Éraklyon.

Encore sous le choc, Erendor entend alors un rire strident :

— Qui êtes-vous, que me voulez-vous ?

— Demande-nous plutôt qui nous envoie, souffle Icy en apparaissant dans le trou du mur.

Elle est avec Stormy et Darcy, et toutes les trois affichent une expression de triomphe. Erendor les fixe droit dans les yeux, et il y voit les trois sorcières qui ont peuplé ses cauchemars pendant des années.

— Les trois Sorcières Ancestrales ! comprend-il.

— Bravo ! s'exclame Stormy. Vu que tu es très perspicace, tu as compris ce qu'elles veulent : le sablier. Où est-il ?

— Vous ne le saurez jamais, vous ne me faites plus peur. Vous n'obtiendrez rien de moi.

— Tu paries ?

— J'ai détruit le sablier, il y a des années de ça.

De colère, les sorcières démolissent tout ce qu'elles trouvent sur leur passage. Puis Icy attrape l'homme avec un long tentacule d'ombre et le soulève.

— Où est le bourgeon d'Arbre de Vie ?

— Ce n'est pas moi qui vais vous le dire…

Icy lui prend le bras et le serre très fort.

— Avec quelle main as-tu brisé le sablier, Erendor ?

Erendor lutte contre la douleur, mais il ne dit rien.

— Je vais te congeler les bras ! crie Icy.

La phrase suffit pour déclencher le sortilège, et les mains du roi durcissent, peu à peu envahies par la glace. Erendor pousse un hurlement terrifiant.

Éraklyon, ville d'Avram.

— Tout le monde va bien ? demande Bloom à ses amis.

Peg est à ses côtés et lui lèche la main.

— Spécialistes sains et saufs, répond Sky pour tout le monde.

— Winx décoiffées mais entières ! lance Stella.

Le navire s'est arrêté pile devant les grilles qui délimitent l'entrée de la ville.

— On va dans quelle direction ? demande Timmy.

— Je n'en ai pas la moindre idée ! dit Sky. Mais attention: ne vous fiez pas à ce que vous verrez là-bas. On entre dans le royaume des illusions. Je pense qu'il vaut mieux nous séparer et chercher le bourgeon.

— Ce n'est pas dangereux ? s'inquiète Musa.

— Cette cité a l'air déserte, murmure Layla.

La ville se dresse devant eux, sombre et glaciale. Ils sont plongés dans un silence surnaturel.

— Avram est une ville vraiment accueillante, dit Brandon avec humour. N'est-ce pas, Sky ?

Mais son ami ne répond pas. Brandon se tourne et l'appelle à nouveau. Il était pourtant juste à côté de lui. Mais il a disparu.

— Bloom ? Où est Sky ? Bloom ?

La fée a disparu elle aussi. C'est comme si la neige qui tombe à gros flocons les avait engloutis tous les deux.

— Bloom ! Sky ! Où êtes-vous ? s'exclame Stella.

Autour d'eux, les palais sont vides et sombres. L'atmosphère est oppressante.

— Là ! En bas ! crie soudain Stella.

Bloom et Sky sont en train de courir le long d'une passerelle en pierre tendue entre deux immeubles.

— Vite, allons les rejoindre, dit Riven en attrapant les rênes de Peg.

Mais la jument est nerveuse. Elle a senti quelque chose. Riven essaie de la retenir, mais elle finit par lui échapper et elle s'enfuit, bientôt engloutie elle aussi par la neige. Musa prend la main de Riven, et ils entrent dans un palais.

— Ce chemin est de plus en plus étroit, murmure Bloom en frissonnant.

— On ne doit pas s'arrêter. On doit continuer jusqu'à ce que nous ayons trouvé l'arbre, dit Sky.

Bloom se retourne.

— Sky, on a perdu les autres.

— C'est la faute des illusions, mon père m'a prévenu sur les effets maléfiques d'Avram. Mais on doit continuer. Nos amis sont pleins de ressources. Ils s'en sortiront.

Soudain, ils entrevoient au loin la silhouette d'une fée.

— Stella ! crie Bloom. Sky, regarde, c'est Stella !

— Tu es sûre que ce n'est pas une illusion ?

Bloom ne répond pas. Elle n'est plus sûre de rien. Ici les certitudes n'existent pas. Ils accélèrent, tandis que les murs se resserrent sur eux.

Musa et Riven sont en haut d'une tour percée de plusieurs ouvertures, qui toutes finissent dans le vide. Les portes sont disposées sans but ni logique. Il n'y a aucun moyen d'en sortir. Soudain, des couples formés d'une fée et d'un Spécialiste apparaissent dans chacune des ouvertures. Comme s'ils avaient suivi des chemins différents et avaient fini par se retrouver là.

— Il n'y a aucune logique et aucun sens de l'espace ici, murmure Tecna, épouvantée. Comment on va trouver

Bloom est tellement heureuse qu'elle se jette à son cou. Mais elle a mal calculé son élan et, déséquilibrés, ils tombent en arrière. La tête de Sky heurte un morceau de roche.

Lorsqu'il ouvre les yeux, encore allongé par terre, Sky entrevoit un tout petit brin de verdure. La pousse qu'ils sont venus chercher.

— Bloom, elle est juste là !

— Où ? Je ne vois rien.

— Là. Je suis sûr de l'avoir vue, elle brillait.

— Tout ce que je vois, c'est un autre précipice.

— C'est une illusion !

Sky a soudain un doute. Et si c'était lui qui était victime d'une illusion ? Mais non. Il en est certain. Il a vu la pousse briller. Il se lève et aide Bloom à se redresser.

— Crois en moi. Fais-moi confiance et cours. Il n'y a aucun précipice.

Bloom frissonne. Mais elle se souvient du jour où ils ont galopé tous les deux sur le dos de Peg. Cet après-midi-là, elle s'est totalement abandonnée et elle lui a fait confiance.

— On y va, dit Sky.

Il la prend par la main et ils se mettent à courir. Soudain, ils entendent derrière eux des bruits de sabots. C'est Peg. Ils montent sur son dos et galopent dans la direction indiquée par Sky. Autour d'eux, Avram tremble et s'écroule. Tout se désagrège : les ponts, les immeubles, les tours.

— Darcy ! Stormy ! s'exclame Flora, en reconnaissant les deux silhouettes maléfiques.

Les fées et les Spécialistes sont dans une grande salle vide, aux murs couverts de miroirs sinistres.

— Les Trix… Oh, mon Dieu ! murmure Stella en faisant semblant de s'évanouir. Heureusement que vous êtes là ! On s'ennuyait à mourir.

— Salut, les dindes ! lance Darcy, pleine d'aplomb. Nous aussi on est très heureuses de vous voir. Mais cette fois, c'est terminé, pauvres petits insectes sans aile.

— C'est nous qui avons le pouvoir, ajoute Stormy.

— On est venues pour vous écraser.

— Il faudra d'abord me passer sur le corps ! déclare une voix forte et décidée.

C'est le roi Oritel !

Se dressant devant les fées pour les

protéger, le père de Bloom brandit l'épée de la Compagnie de la Lumière. La lame brille d'une lumière qui lui est propre, comme une promesse d'espoir.

— Vous avez encore beaucoup de choses à apprendre, sales sorcières, s'écrie le roi de Domino.

— Toi aussi, murmure une voix au loin.

— Salut, Oritel, souffle une autre voix glacée.

Et dans un nuage de fumée, apparaissent les visages des trois Sorcières Ancestrales.

La course de Peg s'achève sur une grande place vide, où brille une puissante source de lumière. Sky et Bloom se protègent les yeux, éblouis, et descendent de cheval. Devant eux, la pousse de l'Arbre de Vie brille d'un éclat magique.

— Bravo, Peg ! s'exclame Sky.

— Sky ! On a réussi !

Bloom court s'agenouiller à côté de l'arbre, qui semble tellement petit, tellement fragile.

— Je sens l'énergie du Bien, Sky, elle vit dans cette petite pousse d'arbre.

Le ciel s'éclaircit et un pâle soleil perce le rideau de nuage.

Bloom touche le bourgeon, qui se met à briller plus fort.

— La magie positive vit à l'intérieur. Et elle m'appelle.

— Moi aussi je t'appelle ! crie soudain une voix dans le ciel.

Bloom et Sky lèvent la tête.

— Icy ! Qu'est-ce que tu fais à Avram ?

— Je viens écrire le mot « FIN ».

La sorcière vole au-dessus de leur tête. Elle brandit, menaçante, le corps d'Erendor, inconscient. Puis, sans la moindre pitié, elle lâche le roi dans le vide.

Ensuite les événements se précipitent. Oritel arrive à temps pour sauver le roi Erendor, mais il est épuisé, et il est lui aussi vaincu par les sorcières. Les Trix et les Sorcières Ancestrales, grisées par la victoire toute proche, se disputent le plaisir d'anéantir Bloom : privée de pouvoir et sans ses amies, elle est beaucoup plus vulnérable.

Icy, aveuglée par la rage, n'a qu'une idée en tête : gagner. Gagner défini-

tivement la bataille contre les fées.
Mais sa fureur l'empêche de réfléchir. Elle essaie de frapper Bloom,
qui esquive le coup. Le rayon ultra-
puissant d'Icy s'abat sur la pousse de
l'Arbre de Vie.

— Non, pas l'arbre, non ! supplie
Bloom.

Il y a une explosion, suivie d'une
lueur verdâtre et aveuglante.

— NOON ! hurle à son tour Belladone.

Un rayon de lumière verte éclaire
les murs de la cité maudite, et perce
les nuages. Il retombe en une pluie
de pollen doré et scintillant.

— Stupide sorcière ! s'exclame Belladone.

Puis dans un souffle désespéré, elle
ajoute :

— En détruisant le bourgeon, tu as

libéré l'énergie positive qu'il renfer-
mait !

Le pouvoir de l'Arbre de Vie

Les Winx ont retrouvé leurs pouvoirs. Tout autour d'elles, les palais en ruine disparaissent et la ville retrouve son aspect premier. La neige fond, laissant la place au soleil. Les illusions ayant disparu, les fées, les Spécialistes, les Sorcières Ancestrales, Stormy, Darcy : tout le monde se retrouve avec Bloom, Sky et Icy.

Sky court embrasser son père. Oritel passe un peu de pollen magique sur la lame de son épée.

— Attention, Bloom ! Peg est en train de manger les feuilles de l'Arbre de Vie ! lance Stella.

— Arrête, Peg, la gronde Bloom.

Mais la jument ne peut pas s'arrêter ! Ces feuilles sont tellement bonnes. Soudain, le pollen magique commence à tourbillonner autour d'elle, l'entraînant dans les airs. Elle virevolte à son tour et se transforme : deux ailes d'or apparaissent sur son dos, et une corne pousse sur son front. Peg est devenue une licorne magique.

— Que tu es belle ! s'exclame Bloom.

Les fées sentent en elles la force magique du Bien. Elles brillent plus que jamais, entourées d'une aura dorée.

— Regarde ce que tu as fait ! crache Belladone. Tu as libéré l'énergie positive. Désormais elle est incontrôlable.

— Mais je… bredouille Icy.

Stella lui décoche son plus beau sourire.

— Vous savez quoi, les Trix ? Je me sens beaucoup mieux. Pas vous, les filles ?

— Nous aussi, confirment en chœur les autres fées.

— Winx Believix ! lance Bloom.

Et l'une après l'autre, les Winx se transforment. Leurs ailes majestueuses brillent dans le soleil retrouvé.

La bataille qui suit restera long-temps dans les livres d'histoire de la dimension magique.

Les Winx affrontent les Trix à coups de sortilèges magiques : *Plaque Defender*, et *Flamme du dragon* ! Flora piège avec une *Cage Fleurie* les mains et les pieds des sorcières. Oritel et Erendor se battent à leurs côtés, contrant les coups ensorcelés avec la lame de leurs épées. Les trois Sorcières Ancestrales, comprenant qu'elles n'ont plus l'avantage du nombre, décident de se retourner contre les Trix.

— Vous avez tout gâché ! hurlent en chœur Belladone, Lysliss et Tharma. Votre punition sera exemplaire, et le châtiment inoubliable !

Les Trix essaient de s'enfuir, mais elles ne sont pas assez rapides. Alors, dans un souffle maudit, les Sorcières Ancestrales s'emparent du corps des Trix.

Belladone prend possession d'Icy, Lysliss de Darcy et Tharma de Stormy. Hurlant de douleur, les Trix se métamorphosent et leur aspect devient monstrueux : peaux verdâtres, cheveux blancs et nez crochus.

Mais leurs pouvoirs sont cent fois plus puissants !

— Nous sommes les super Trix ! hurlent-elles, menaçantes.

Icy est entourée de poignards de glace noire, Stormy de nuages sombres traversés par des éclairs. Darcy est encerclée par des ombres dangereuses, qui dissimulent des pièges terribles et mystérieux.

La bataille fait rage et les fées perdent l'avantage. Les Spécialistes ne peuvent pas les aider, car ils sont occupés à combattre des monstres d'ombre énormes et menaçants, créés par Darcy/Lysliss. Soudain, l'attention d'Icy/Belladone est attirée vers Bloom. La fée arrive vers elle en volant. Elle est furieuse, car elle vient d'assister à la chute de Tecna et de Musa, et tout ce qu'elle désire

désormais, c'est venger ses amies. Le dragon de feu de Bloom apparaît à ses côtés, prêt à ne faire qu'une bouchée du dragon noir de la sorcière.

Ils se rencontrent dans le ciel. Mais, le dragon noir est plus puissant, et Bloom est jetée à terre. Elle se sent vite envahie par un sentiment de découragement. Les super Trix sont très puissantes, et elle est trop fatiguée.

— C'est ici que s'achève le conte de fées ! s'exclame Icy/Belladone.

Et de toutes ses forces, elle lance l'attaque finale, un poing noir comme la nuit, qui s'abat sur Bloom, meurtrier.

À cet instant, Erendor se place devant Bloom pour lui sauver la vie.

— NOOON ! hurle Bloom.

Trop tard. Le père de Sky est frappé de plein fouet par le sortilège maléfique d'Icy. Il s'effondre aux pieds de son fils.

Agonisant, il murmure :

— J'ai fait ce que je n'avais pas eu le courage de faire par le passé. J'ai protégé Domino.

Et s'adressant au roi Oritel, il ajoute :

— Ton pardon, Oritel, m'a rendu ma dignité... Merci.

Dans un dernier souffle, il s'éteint. Bloom est pétrifiée. Oritel tombe à genoux à côté de Sky et le prend par les épaules. Le temps s'est arrêté.

Bloom n'a besoin que de quelques instants pour se ressaisir. Au comble de la colère, elle crie :

— Vous êtes le Mal absolu, sorcières ! Vous détruisez tout ce qui est bon ! Cette fois, vous allez payer ! Les Winx, on y va !

Elle n'a peut-être pas réussi à sauver Erendor, mais elle peut encore le venger.

— Mettons-les en pièces, pour toujours ! hurle Sky, aveuglé par la douleur. J'aide les filles contre les Sorcières. Vous, les Spécialistes, vous vous occupez des monstres.

La bataille fait rage quand le roi Oritel a l'idée de monter Peg et de voler à la rencontre des sorcières.

— La dernière fois que vous avez vaincu cette épée, c'était par la ruse. Cette fois vous allez perdre !

Lancé sur le dos de Peg, il brandit son épée en criant :

— Bloom ! Les Winx ! C'est le moment !

Les fées se prennent par la main et elles volent vers les sorcières en criant :

« Convergence Winx ! »

Le Mal a été vaincu. Les trois Sorcières Ancestrales ont été éjectées du corps des Trix, qui gisent évanouies sur le sol, ligotées par les Spécialistes. Mais à quel prix ? Erendor est mort. Et la convergence magique a vidé toute l'énergie de l'arbre.

Les Winx ont retrouvé leur aspect normal, le dernier assaut ayant épuisé leurs pouvoirs.

— La magie positive s'éteint à nouveau, dit Flora dans un murmure.

— On a échoué. On n'a pas atteint notre but. On n'a pas réussi à sauver l'Arbre de Vie, ajoute Musa, abattue.

Oritel leur montre alors la lame de son épée. Elle brille sous les rayons du soleil. Sur la lame, il reste un peu de pollen doré.

— Voici ce qui reste du pollen magique. Je l'ai récupéré avant qu'il ne se perde dans l'atmosphère.

— Si l'arbre revient à la vie, la magie reviendra, murmure Stella, pleine d'espoir.

— Mais aucune magie ne pourra faire taire cette douleur, dit Oritel en regardant son ami.

Et sans hésiter, il prend le pollen magique et le frotte sur le torse d'Erendor.

Le pollen brille, et le corps du souverain se soulève de terre. Puis la luminosité augmente et le corps retombe. Erendor se réveille dans un sursaut.

Sky n'en revient pas, il est bouleversé. Il prend dans ses bras le père de Bloom.

— Comment vous remercier ?

Soudain, les fées ferment les yeux. Par la force de la pensée, elles voient sur Magix que l'Arbre de Vie a recommencé à fleurir. Les nouveaux bourgeons sont minuscules, précieux et brillants. Le village des Pixies cache un nouveau secret.

— La générosité est l'âme de la magie positive, explique Erendor. Ton geste, Oritel…

— … Ainsi que ton sacrifice, Erendor, ajoute Oritel. À nous deux, nous avons ramené l'équilibre à Magix.

Puis Oritel s'approche de Bloom et de son amoureux.

— Sky, Bloom, je crois que je vous dois des excuses.

— Non, ne dites rien.

— Laissez-moi parler. Je suis désolé, Sky, si j'ai douté de ta valeur. Dans tout l'univers, il n'y a pas de meilleur prétendant que toi pour ma fille.

Il serre chaleureusement la main du jeune homme. Puis il sourit à sa fille :

— Je suis fier de toi et de ton choix.

Oritel prend les mains des deux jeunes gens et les unit symboliquement devant tous les autres Spécialistes et les fées. Bloom et Sky s'embrassent. La fin heureuse n'est plus inaccessible. Elle est même plus proche que jamais.

— On rentre ! lance Bloom. Le premier qui arrive au bateau a gagné !

La fée saute sur le dos de Peg et la pousse au galop. La jument ne se fait pas prier. Elle s'envole vers le ciel. Le spectacle est vraiment magique : une fée chevauchant une licorne blanche.

— Eh ! C'est pas juste ! On est à pied, nous ! lance Sky.

Les fées s'envolent derrière Bloom et Peg, tandis que les Spécialistes partent en courant vers le vaisseau.

En quelques manœuvres, le navire est à nouveau paré et il prend son envol. À son bord, les Spécialistes, Oritel et Erendor profitent du paysage, du voyage et du soleil couchant.

Avec eux, il y a les Trix naturellement, ficelées avec une corde bien solide. Elles sont suspendues dans le vide et se tortillent en espérant se libérer.

Les Winx suivent le vaisseau en quelques battements d'ailes.

De temps en temps, elles s'approchent des Spécialistes pour les embrasser, ou pour les aider aux manœuvres.

Puis le navire vire vers la terre ferme. Magix est en vue.

Une aventure magique vient de s'achever…

Fin

Tu connais tous les secrets des Winx ?

Retrouve toutes les histoires de tes fées préférées dans les livres précédents...

Saison 1

1. Les pouvoirs de Bloom

2. Bienvenue à Magix

3. L'université des fées

4. La voix de la nature

5. La Tour Nuage

6. Le rallye de la rose

Saison 2

7. Les mini-fées

8. Le mariage de Brandon

9. L'étrange Avalon

10. À la poursuite du Codex

11. Sur la planète du prince Sky

12. Que la fête continue !

13. Alliance impossible

14. Le village des mini-fées

15. Le pouvoir du Charmix

16. Le royaume de Darkar

17. La marque de Valtor

18. Le Miroir de Vérité

19. La poussière de fée

20. L'arbre enchanté

Saison 3

21. Le sacrifice de Tecna

22. L'île aux dragons

23. Le mystère Ophir

24. La fiancée de Sky

25. Le prince ensorcelé

26. Le destin de Layla

27. Les trois sorcières

28. La magie noire

29. Le combat final

Saison 4

30. Les chasseurs de fées

31. Le secret des mini-fées

32. Les animaux magiques

33. Une fée en danger

34. Le pouvoir du Believix

35. La magie du Cercle Blanc

36. La vengeance de Nebula

37. Le rêve de Musa

Le roman du film
Le Secret du Royaume Perdu

Le roman du spectacle
Winx on Ice

Le hors-série Winx Club avec le roman du film, des jeux et des tests
Le Secret du Royaume Perdu

Table

PAPIER À BASE DE
FIBRES CERTIFIÉES

hachette s'engage pour
l'environnement en réduisant
l'empreinte carbone de ses livres.
Celle de cet exemplaire est de :
500 g éq. CO_2
Rendez-vous sur
www.hachette-durable.fr

Photogravure Nord Compo - Villeneuve d'Ascq

Imprimé en Espagne par CAYFOSA
Dépôt légal : avril 2011
Achevé d'imprimer : mars 2014
20.2298.6/09 – ISBN 978-2-01-202298-0
Loi n° 49956 du 16 juillet 1949
sur les publications destinées à la jeunesse